Este libro
pertenece a:

Vanessa G.

WINNIE THE
POOH

PIGLET

IGOR
EEYORE

TIGGER

Protagonistas
STARRING

CONEJO
RABBIT

CANGU Y RITO
KANGA & ROO

BÚHO
OWL

Este es un libro Parragon Publishing
Primera edición en 2006
Parragon
Queen Street House
4 Queen Street
Bath, BA1 1HE, UK

ISBN 1-40547-659-1
Impreso en China

Winnie Pooh
Y el día borrascoso

Winnie the Pooh
and the Blustery Day

p

Era uno de esos días borrascosos en el Bosque de los Cien Acres y Winnie
Pooh estaba sentado en su lugar para pensar. Ese era el sitio especial del
Osito Pooh para sentarse a meditar sobre las cosas.
En ese momento, se estaba preguntando qué hacer, cuando de repente pensó,
"¡Caramba, hoy es viéntoles! Es mi día favorito para visitar a mis amigos.
Creo que empezaré por Piglet."

It was one of those blustery days in the Hundred-Acre Wood and
Winnie the Pooh was sitting in his thoughtful spot. This was
his special place for sitting and thinking.
    Pooh was wondering what to do, when he suddenly thought,
"Why, it's Windsday! This is my favorite day for visiting
friends. I think I'll start with Piglet."

Piglet vivía en una casa muy bonita en una gran haya. Cuando llegó Pooh, Piglet estaba barriendo las hojas que se arremolinaban delante de la puerta.

"No me importa que se caigan las hojas. Lo que me molesta es que caigan delante de mi casa", dijo Piglet.

———————————————————

Piglet lived in a very fine house in a large beech tree. When Pooh arrived, Piglet was sweeping leaves away from the front door.

"I don't mind the leaves that that are leaving, it's the leaves that are coming that bother me," said Piglet.

"¡Feliz viéntoles, Piglet!", dijo Pooh, pero Piglet no tenía tiempo de contestarle ...

En ese momento, una ráfaga muy fuerte de viento alzó al pequeño puerquito por el aire.

"¡Ayúdame, Pooh!", gritó.

Pooh trató de sujetarlo, pero solamente pudo agarrar un extremo de la bufanda de Piglet. La bufanda comenzó a deshacerse como un ovillo de lana.

"Happy Windsday, Piglet!" said Pooh, but Piglet didn't have time to say anything back to Pooh. Just then, a gust of wind blew very hard and lifted Piglet into the air.

"Help me, Pooh," he cried.

Pooh made a grab but only caught the end of Piglet's scarf. The scarf began to unravel like a ball of string.

Piglet voló como una cometa, mientras Pooh sujetaba el extremo de la bufanda y corría tan deprisa como podía. El puerquito planeó sobre los campos flotando en el aire. Pooh lo seguía. Ambos pasaron velozmente por la casa de Igor y por el huerto de zanahorias de Conejo.

"¡Feliz viéntoles, Conejo! ¡Feliz viéntoles, Igor", gritó Pooh. Entonces una ráfaga de viento todavía más fuerte levantó también a Pooh del suelo.

Piglet flew like a kite, while Pooh held on to one end of the scarf and ran as fast as he could go. Piglet flew over fields and hedges. They crashed through Eeyore's house and Rabbit's carrot patch. "Happy Windsday, Rabbit! Happy Windsday, Eeyore!" shouted Pooh. Then an even bigger gust of wind lifted Pooh off the ground.

El viento soplaba tan fuerte que Pooh y Piglet llegaron volando hasta la casa de Búho, en la copa de un árbol.

Cuando Búho les vio por la ventana saludándole, no podía creerlo.

The wind blew so hard that Pooh and Piglet blew up to Owl's treetop home.

Owl saw them at the window, waving. He couldn't believe his eyes.

Muy pocos amigos de Búho podían trepar tan arriba en el árbol, por eso tener visitantes era algo muy especial para él.

"¡Vaya!" dijo Búho. "¡Qué bonita sorpresa! Pasen a tomar una taza de té."

Abrió la ventana y Pooh y Piglet entraron volando.

"¡Feliz viéntoles, Búho!", dijo Pooh.

Very few of Owl's friends could climb so high up the tree, so it was a special treat for him to have visitors.

"Well!" said Owl. "This is a nice surprise! Do come in for a cup of tea."

He opened the window and Pooh and Piglet flew in.

"Happy Windsday, Owl!" said Pooh.

El fuerte viento sacudía la casa de Búho de un lado a otro.

_____

The wind was shaking Owl's house backward and forward.

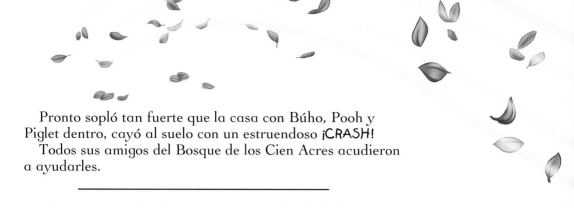

Pronto sopló tan fuerte que la casa con Búho, Pooh y
Piglet dentro, cayó al suelo con un estruendoso ¡CRASH!
   Todos sus amigos del Bosque de los Cien Acres acudieron
a ayudarles.

———————————————————————

Then it blew so hard that the house, with Owl, Pooh, and
Piglet inside, fell to the ground with a mighty CRASH!
   All their friends from the Hundred-Acre Wood came
running to help.

"Creo que nunca podremos arreglar esta casa," dijo Christopher Robin,
sacudiendo la cabeza. Igor también opinaba lo mismo. "Si me preguntan a
mí," dijo, "cuando una casa queda así es hora de buscarse otra. Puede que me
tome algo de tiempo, pero yo te encontraré otra, Búho."

Todos pensaron que era una idea muy buena.

"I don't think that we will ever be able to fix it," said Christopher Robin,
shaking his head. Eeyore was shaking his head too.

"If you ask me," he said, "When a house looks like that, it's time to find
another one. It might take a day or two, but I'll find one for you."
Everyone thought this was a very good idea.

Los amigos se sentaron y esperaron mucho tiempo el regreso de Igor. Se hizo muy tarde pero seguía sin aparecer por ninguna parte.

Christopher Robin bostezó y decidió que era hora de irse a la cama.

The friends sat around and waited and waited for Eeyore to return. It got later and later but still there was no sign of him. Christopher Robin yawned and decided that it was time for bed.

Después de aquel día tan borrascoso vino una noche aún más borrascosa. Fuera de la casa de Pooh llovía a cántaros. Dentro, Pooh pasó la noche muy inquieto escuchando ruidos extraños: ¡eran de su hambrienta pancita!

The very blustery day turned into a very blustery night. Outside Pooh's house it rained and rained.

Inside, Pooh had a very anxious sort of night, filled with anxious noises.

Cuando Pooh se despertó, el agua había subido mucho y el Bosque de los Cien Acres estaba inundado.

Pooh pensó que era mejor comer un poco de miel antes de que se la llevase el agua.

Entonces se puso a lamer el fondo de un gran tarro y el agua subió tanto que se lo llevó flotando, a través de la puerta, con la cabeza todavía metida en el recipiente.

When Pooh woke up, the water was very deep and the Hundred-Acre Wood was flooded.

Pooh thought that he would eat some honey before it all floated away.

He was licking out the bottom of a honey pot when the water floated him out the door, with his head stuck inside the pot.

Cuando Piglet se despertó, descubrió que estaba entrando agua por la ventana de su casa. Asustado, escribió una nota que decía,

"SOCORRO. YO, PIGLET".

When Piglet woke up, he discovered water was coming in through the window. He wrote a note that read:

"HELP ME, PIGLET."

Piglet metió la nota en una botella y miró cómo se alejaba flotando hasta que se perdió de vista. Y entonces Piglet salió flotando a través de la ventana y también se perdió de vista.

Piglet put the note in a bottle and watched it float out the window and out of sight. And then Piglet floated out the window and out of sight.

Christopher Robin vivía en lo alto de una colina, donde el agua no podía llegar. Por eso todos los habitantes del Bosque de los Cien Acres se reunieron allí.

Tigger, Conejo, Cangu y Rito llegaron en un paraguas. Búho vigilaba desde un árbol. Pero no se veía ni a Pooh ni a Piglet.

Christopher Robin lived on a hill where the water could not reach. So that is where everyone from the Hundred-Acre Wood gathered.

Tigger, Rabbit, Kanga, and Roo arrived in an umbrella. Owl was keeping watch from a tree. But there was no sign of Pooh and Piglet.

Fue Rito quien descubrió la botella flotando con el mensaje de Piglet.

Christopher Robin leyó el mensaje y Búho se fue volando al Bosque a buscar a Piglet.

"Dile que le rescataremos tan pronto como podamos", gritó Christopher Robin.

It was Roo who spotted the floating bottle with Piglet's note inside.

Christopher Robin read out the note and Owl flew off into the wood to search for Piglet.

"Tell him we'll rescue him as soon as we can," cried Christopher Robin.

Mientras volaba sobre el campo inundado, Búho vio a Pooh y a Piglet flotando en el agua. No estaban lejos de la casa de Christopher Robin. Piglet estaba parado sobre una silla y Pooh todavía estaba boca abajo en su tarro de miel.

Todos esperaron en la orilla mientras Pooh y Piglet llegaban flotando.

As he flew over the flood, Owl saw Pooh and Piglet floating in the water. They were not far from Christopher Robin's hill. Piglet was standing on a chair and Pooh was still upside down in his honey pot. Everyone was waiting at the edge of the water as Pooh and Piglet floated in.

"Le has salvado la vida a Piglet. ¡Eres un héroe!"

"¿De verdad?" preguntó Pooh.

Christopher Robin dijo que tan pronto como pasara la inundación, daría una fiesta en honor a Pooh, el héroe.

―――――――――――――――

"Well done, Pooh!" said Christopher Robin. "You've saved Piglet's life. You are a hero!"

"I am?" asked Pooh.

Christopher Robin said that, as soon as the flood was over, he would give a hero's party for Pooh.

Finalmente cesó la lluvia y Christopher Robin celebró la fiesta para el héroe. Todos acudieron, excepto Igor, que llegó muy tarde.
"He encontrado una casa para Búho", dijo. "Síganme."

Finally, the rain stopped and Christopher Robin gave the hero's party.
Everyone was there except Eeyore.
He arrived late.
"I've found Owl a house," he said. "Follow me."

Todos siguieron a Igor a través del Bosque de los Cien Acres. Él los dirigió hacia la bonita casa de Piglet en el haya.

Igor se paró frente a la puerta y les pidió a todos que examinaran la preciosa nueva casa de Búho. Pero todos miraron a Piglet sorprendidos.

So they all followed Eeyore through the Hundred-Acre Wood. He led them to Piglet's fine house in the beech tree.

Eeyore stood in front of Piglet's door and asked everyone to take a good look at Owl's fine new home. But everyone looked at Piglet.

"Bueno…" dijo Christopher Robin, "parece que es la casa apropiada para Búho. ¿Qué piensas tú, Piglet?"

Y entonces Piglet hizo algo muy generoso.

"Sí", dijo. "Parece que es la casa apropiada para Búho y espero que viva muy feliz en ella."

"Well…" said Christopher Robin, "this is just the house for Owl. What do you think, Piglet?"

And then Piglet did a noble thing.

"Yes," he said, "this is just the house for Owl, and I hope he will be very happy in it."

Pooh miró a su amiguito y susurró al oído de Piglet, "Has sido muy generoso."

Entonces Pooh dijo en voz muy alta: "Piglet, tú puedes venir a vivir conmigo".

Pooh looked at his little friend and whispered in Piglet's ear, "That was a noble thing you did."

Then Pooh said loudly, "Piglet, you can come and live with me."

Así fue como Christopher Robin terminó celebrando una fiesta para dos héroes. Pooh era un héroe porque había salvado la vida de Piglet y Piglet era un héroe porque le había dado a Búho su bonita casa.

So Christopher Robin gave a party for two heroes. Pooh was a hero for saving Piglet's life, and Piglet was a hero for giving Owl a fine house.

Todos disfrutaron mucho en la fiesta. El día borrascoso no había sido tan malo después de todo.

———————————————————

Everyone had a lovely party, and the blustery day turned out to be not so bad after all.